KB213533

소녀, 만개하다

소녀, 만개하다

지은이 송현지, 신유주, 이준의, 임이레, 편규희
표지디자인 임이레
지도 및 엮음 박현정

발 행 2025년 02월 04일
펴낸이 한건희
펴낸곳 주식회사 부크크
출판사등록 2014.07.15.(제2014-16호)
주 소 서울특별시 금천구 가산디지털1로 119 SK트윈타워 A동 305호
전 화 1670-8316
이메일 info@bookk.co.kr

ISBN 979-11-419-8291-1

www.bookk.co.kr

소녀, 만개하다

송현지, 신유주, 이준의, 임이레, 편규희 지음
임이레 표지디자인
박현정 지도 및 엮음

차례

여러분의 삶이 유채꽃처럼 만개하길 바라며
이 책을 바칩니다.

함께 쓸 이야기 주제를 정하고, 주인공 이름을 정하며 깔깔 웃고 설레던 그날의 즐거움을 잊을 수 없습니다. 우리는 이렇게 다섯 명이 함께 주제를 정하고, 다섯 명이 하나의 글을 완성하였습니다.

글을 쓴다는 것은 엄청난 인지적 활동입니다. 혼자서 하나의 완성된 글을 쓰는 작업도 쉽지 않은데 하나의 주제로 서로 이어 쓴다는 것이 쉬운 일이 아닙니다. 내용의 흐름도 서로 맞춰야 하고, 등장인물의 성격도 서로 맞춰야 하고, 앞뒤 친구들이 쓴 내용을 꼼꼼하게 읽고 써야 하는 독자이면서도 작가가 되는 활동입니다.

이 과정에서 이견이 있을 수 있었지만, 이러한 과정을 조율하며 발단, 전개, 위기, 절정을 작성하였습니다. 다만 결말은 모두가 주인공이 되면 좋겠다는 의견에 따라 의견을 모두 담아 세 가지 결말로 책을 만들어보았습니다.

우리는 주제를 찾을 때 우리의 삶과 관련이 있는 내용으로 찾아보았습니다. 그래서 다섯 명이 모두 관심을 가질 수 있는 주제를 정했습니다. 우리는 현재 학생이고 공부, 학업, 진로와 밀접한 관련이 되어있습니다. 그래서 우리 다섯 명은 현재 우리가 고민하는 '꿈, 성장'과 관련된 주제로 정해졌습니다.

어쩌면 이 글에 나오는 결말이 우리 다섯 명이 바라는 내 삶의 모습이 아닐까 싶습니다. 나의 행복을 위해 사는 주체적인 모습.

이러한 주체적인 모습을 담기 위해 결말을 세 가지로 나누어서 설정하였습니다. 등장인물 세 명 모두가 주인공으로 마무리되길 바라는 작가들의 마음입니다.

우리가 소설 속 인물 모두 주인공으로 마무리되길 바랐던 만큼, 그리고 소설 속 인물이지만 진로를 어떻게 마무리할지 고민했던 만큼 여러분들도 진정 원하는 삶을 이룰 수 있도록 노력하시기 바랍니다.

쉽지 않은 활동이었지만 열심히 즐겁게 참여해 준 우리 다섯 명의 작가 현지님, 유주님, 준의님, 이레님, 규희님에게 감사합니다.

영란여중의 모든 읽기 쓰기 활동에 적극적으로 지원해 주시는 이국연 교장 선생님, 유수경 교감 선생님, 손영숙 부장 선생님 모두 감사합니다. 문식성 교육에 대한 고민을 놓지 않고 할 수 있도록 격려 말씀 주시는 이순영 교수님 감사합니다.

언제나 나에게 인사이트를 주는 쭌, 윤에게도 고맙습니다.

이 책을 읽고, 잠시나마 입가에 미소가 지어지는 독자분께도 감사합니다.

2025.1.

박현정

제1화 이 채 희

햇빛이 쨍쨍한 어느 여름날… 사각사각 들려오는 고요하고 침묵한 고3들의 공부 소리가 들리던 날이었다.

'딩동댕동 딩동댕동'

쉬는 시간 종소리가 울린다.

어떤 친구는 엎드려 자고 어떤 친구는 장난치고 어떤 친구는 칠판에 낙서하는 도중에도 따뜻한 햇볕 아래로 여전히 사각사각 공부하는 한 친구가 있었다.

"하…씨 그래서 이게 뭔데"

수학 문제가 잘 풀리지 않아 나는 눈살을 찌푸렸다. 이렇게 예민한 내 앞으로 친구들이 다가온다.

“터벅터벅 쿵”

자리에 앉아 의자의 삐거덕 소리가 들렸다.

“나 국어 필기 좀 빌려줘”

당당하지만 뻔뻔한 친구들의 행동에 이채희가 짜증 나는 말투로 말한다.

“내가 왜? 싫은데."

그러자 친구들은 툴툴거리는 모습으로 말한다.

“전교 2등이라 안 보여준다. 이거냐!? 백원인 잘 보여주는데 넌 왜 그러냐, 만년 2등 주제에 그러니까 맨날 전교 2등이나 하지”

그 말을 들은 나는 화가 났다.

“그럼, 너희들이 공부를 잘하던가?”

아침부터 투덕투덕 싸우는 이채희와 친구들의 목소리가 들린다. 내가 말을 꺼낼 참 반 친구들은 겨우 말려 사건을 중단했다. 아니 중단시켜 버렸다. 그러자 고요한 침묵이 이어져 갔다. 마치 그 침묵이 내 목을 조여오듯 답답했다. 충분히 화를 참을 수 있는 상황에도 오늘은 나답지 않게 화가 치밀어 올랐다.

‘컨디션이 좋지 않은 걸까?

생각이 많은 걸까?

분노를 주체 하지 못한 걸까?’

오늘따라 수학 문제가 안 풀리듯 내 하루의 시작도 잘 풀리지 않았다. 나는 조용히 스스로 화를 다스리기 위해 문을 닫고 반을 나갔다. 난 아무 생각 없이 무진장 빠른 발걸음으로 일단 그 반을 벗어나야겠다고 생각했다.

" 아. 진짜 짜증 나게"

내 분노를 어떻게든 표현하고 싶었다.

결국 내 빠른 발걸음 끝엔 학교 외진 곳까지 들어오게 됐다. 아무도 없지만 차분하고 조용한 이 분위기가 마음에 들었다.

"여긴 어디지?"

"우리 학교에도 이런 곳이 있었나?"

좀 더 깊숙이 안에 들어오니 주변에 식물들이 많이 있었다.

"이곳은 텃밭인가?"

터벅터벅 걷는 중 나무 밑 그늘에 지닌 곳에 툭 앉아버렸다. 여기라면 내 분노를 표현하기 최적의 장소라고 생각이 들었다. 고요한 분위기에 취해 나도 모르게 혼잣말이 나와버렸다.

"공부엔 누구보다 자신 있지만 왜 항상 전교 2등을 차지하는가? 그 누구보다 노력하는데 어째 전교 1등은 안 되는 건가…. 내가 부족한 걸까?"

"우리 집은 돈도 많고 지원도 많이 해주지만 늘 전교 2등에만 앉아있는 건가"

지금 내 모습이 너무 초라해 눈물이 나왔다. 고작 한 방울이 뚝 흘렀지만 내 마음속은 이미 넘쳐흐르고 있었다. 그러자 누가 볼 것 같아 얼른 내 눈물을 벅벅 닦았다.

그리고 다시 다짐했다.

"전교 1등? 그래… 할 수 있다고"

내 다짐을 빛나게 하듯 눈앞에 유독 반짝이게 띄는 꽃이 보였다. 무난하고 평범한 꽃일 뿐이었다. 다만 그 꽃에 들어있는 매력은 다른 꽃보다 더 아름답게 느껴졌었다.

“그때 그 꽃은 얼마나 아름다운지”

밝은 햇빛 속 어두운 그늘에도 내 눈앞에 있는 꽃은 여전히 아름답게 느껴졌었다. 어두운 곳에서도 밝게 빛난다니.

나도 저 꽃처럼 밝게 빛나고 싶었다.

“어째 저 꽃이 부러운 걸까….”

제2화 백 원

쿵쾅쿵쾅 시끄러운 소음 속 백 원 앞으로 친구들이 다가온다.

"야!!! 원 이거 어떻게 푸는 거냐?"

그러자 원이 즉석에서 펜을 잡고 도와주었다.

"ㅋㅋ 이거 간단한데? 자자~ 들어봐봐. 이건 미적분 문제니까 이렇게 풀면 됨 쉽지?"

백 원의 도움을 받은 친구들은 감탄하며 백 원을 칭찬했다.

"야 너 공부 잘한다? ㅋㅋㅋ"

"이채희도 너의 반만 닮으면 얼마나 좋냐?"

백 원이 앞으로 다가간 친구들이 이채희를 비웃었다.

그러자 백 원은 씩 웃으며 말했다.

"하…. 난 오히려 채희에 면을 닮고 싶은걸…. 채희는 혼자 풀면서 자기만의 공부 방식을 터득했으니 참 똑똑하지 않냐?"

백 원은 그 상황을 재치 있게 말을 이어갔다. 그러자 친구들이 어색하게 웃으며 상황을 넘겼다.

"야야야 그러지 말고 매점 가실?"

그러자 백 원은 다시 아무렇지 않게 말했다.

"네가 사는 거지? ㅋㅋ"

그렇게 백 원은 친구들과 떠들면서 반에서 나와 복도에서 친구들과 장난치며 가는 도중 나를 만났다.

'어딜 갔던 걸까? 평소와는 눈가가 붉어 보였다.'

그때 백 원은 오지랖 일진 몰라도 무슨 일이 있었는지 말을 걸었다.

"채희야 너 왜 그르.."

툭

나는 빠른 걸음으로 백 원의 어깨를 치고 갔다.

그러자 친구들이 수군거렸다.

"재 왜 저럼?"

"그러니깐 사과도 안 하네"

백 원은 머쓱한 채 웃으며 나를 빤히 쳐다보았다. 나는 더 빠른 걸음으로 가 반에 문을 쾅 닫고 들어갔다. 그렇게 학교가 끝나는 종이 울렸다.

"딩동댕동 딩동댕동"

나는 오늘 아침에 있었던 일 때문에 피곤해져 야간자율학습 시간에 잠시 눈을 붙이고 있었다. 애들이 소리 지르며 소란스럽게 학교를 나갔다. 하지만 그중 조용히 앉아 끝까지 집중하는 친구가 있었다. 바로 전교 1등 백 원이었다.

백 원은 야간자율학습 시간 동안 열심히 공부했다. 얼마나 열심히인지 사각사각 들려오는 샤프 소리가 내 잠귀를 밝혔다. 그렇게 나는 오늘 집중되지 않아 금방 나왔지만 백 원은 마지막까지 자리를 지키고 있었다.

그렇게 오랜 시간이 지나 어두운 밤이 되어야 그제야 백 원은 학교를 나왔다. 쉬어도 될지언정 쉬지 않고 곧바로 온갖 알바까지 뛰며 열심히 공부했다. 백 원을 존경하는 것은 아니었지만 그 부분은 인정할 수밖에 없었다.

그렇게 가난하고 돈도 없지만 공부하는 게 유일하게 즐거웠던 백 원은 가장 잘하는 것을 할 때 행복을 느꼈다.

제3화 윤 태 하

운동장에서 뛰는 소리가 들린다.

"툭툭. 야 패스!!!"

그러자 윤태하가 공을 받았다.

"나이스 패스!"

윤태하가 골대 앞에 서서 골을 넣을 무게를 잡았다.

그러자 윤태하가…. 골대에 공을 뻥 찼다.

숨 막히는 순간 데굴데굴 공이 굴러간다.

골키퍼가 막으려고 손을 벌리는 순간 골키퍼의 손 깃 조금 사이로 골이 들어갔다.

"골!!!!!!!"

윤태하가 기쁜 표정으로 세리머니를 했다. 친구들은 환호를 했고 결국 윤태하 팀이 이겼다.

“와 겁나 재밌네”

“또 축구하고 싶음”

친구들이 말했다.

“야 모든 사람이 너 같은 체력을 갖고 있다 생각 하지 마라…”

“겁나 힘드네 헥..헥.. "

“ㅋㅋㅋ 야 내가 캐리 했으니깐 매점 네가 사라 “

친구가 때리면서 장난을 쳤다.

그렇게 매점에 도착했다.

“야 윤태하 하이”

“하이!”

“태하야 안녕~”

“오랜만!”

태하 친구들이 말했다.

“야 너 솔직히 말해, 이 정도면 고백 받았는데 모른 척 하는 거지? ㅋㅋ”

“엥? 나 진짜 못 받아봤는데?”

“에이~ 너처럼 잘생기고 몸 좋은 애가 어디 있다고”

“하긴 내가 좀 그렇지”

그때 태하 옆에서 여학생의 큰 목소리가 들렸다.

“오빠 잘생겼어요!!!”

태하가 씩 웃으며 말한다.

"이제 알았니?"

나는 그런 뻔뻔한 태하를 보고 재수가 없었다.

제4화 episode Ⅰ

나는 남들이 보기에 완벽한 아이이다. 사람들은 나를 좋은 집에서 태어나 고민 걱정거리 하나 없이 커온 공부도 잘하고 예쁜 그런 완벽한 아이라고 생각한다. 그래서 사람들은 항상 말한다.

"쟤는 좋겠네. 좋은 집에서 태어나서 힘든 일이나 한번 겪어 봤으려나."

"나도 저렇게 행복한 인생 좀 살아봤으면 좋겠다."

"저렇게 편한 인생이 또 어디 있겠어."

내가 편한 인생이라고? 내가 행복하다고? 전혀 그렇지 않다. 어쩌면 나에게 이런 말들을 하는 저 사람들보다도 내가 더 불행한 인생을 살고 있을지도 모른다. 또 어떤 사람은 나에게 말한다.

“네가 부모를 잘 만나서 편하게 크고 있는 거야”

“네가 이렇게 편하게 살고 있는 건 다 부모를 잘 만난 덕이야.”

내가 부모를 잘 만났다고? 정말 웃기는 소리다. 지금 내가 이렇게 불행하게 하루하루를 살아가고 있는 것도 다 나의 부모님 때문이다. 부모님은 항상 나에게 압박감을 준다.

나는 어렸을 적부터 지금까지도 잘했을 때 칭찬 한번 받지 못하며 커왔다. 어렸을 때도 내가 어떤 분야에서든, 어떤 곳에서든 1등을 하지 못하면 부모님은 어린 나에게 온갖 잔소리를 하며 짜증을 내었다. 지금도 다르지 않지만 말이다. 당근 없는 채찍이 나의 정신건강에 얼마나 큰 상처와 피해가 되었는지 본인들은 모를 것이다. 부모님의 세상에는 단 한 번도 내가 있었던 적이 없다. 오직 나의 성적과 공부만이 존재할 뿐이다.

내 나이 열아홉. 난 꿈이 없다. 이것도 다 부모님의 공부 욕심 때문이다. 부모님이 나에게 공부만을 고집하고 공부만 시킨 것 때문에 한창 원하는 꿈을 향해 다가가야 할 시기인 지금 열아홉, 나는 아무런 목표도 꿈도 없이 부모님의 욕심을 충족시키기 위해서만 공부하고 있다.

어릴 적부터 아무 생각 없이 공부만 해오던 탓에 인생에서 가장 중요한 시기인 지금 내가 뭘 잘하고 좋아하는지조차 나는 알지 못한다.

난 여전히 목표가 없다. 그저 목표도 꿈도 없는 이런 불편하고도 강압적인 환경에서 공부만 하고 있을 뿐.

중학교 때까지 나는 전교 1등이었다. 모두가 예상한 당연한 결과이다. 부모님은 나를 밥 먹고 잠 좀 자는 시간을 빼면 하루의 모든 시간의 거의 다 공부 하는데 쓰게 만드니까.

중학교 때까지는 부모님도 그렇고 나도 그렇고 전교 1등이라는 나의 성적을 당연하게 느꼈다. 어디에서든 2등은 해본 적도 없었기에 어쩌면 부모님과 나에겐 1이라는 숫자가 당연했다. 그런데 중학교를 졸업하고 고등학교에 입학하면서 당연한 게 당연하지 않아졌다.

고등학교를 입학한 후에도 여태까지 그래왔던 것처럼 나는 계속해서 공부를 해왔다. 그런데 고등학교에 입학하고 본 첫 번째 중간고사에서 전교 1등이어야 했던 내가 전교 2등을 하고 말았다. 성적표를 받자마자 부모님으로부터 받을 엄청난 압박과 무시가 눈앞에 스쳐 지나가고 앞으로 나를 전교 1등으로 만들겠다고 안 그래도 많은 학원을 늘일 부모님의 모습에 눈앞이 캄캄해졌다. 나도 내 인생에서 전교 2등이 그때 한 번뿐인 줄 알았다. 그냥 잠깐의 실수인 줄 알았다. 그때는 몰랐다. 다시 전교 1등이 되기가 이렇게 힘들 줄 어쩌면 다시 될 수 없을지도 모른다는 것을.

나는 전교 1등이 도대체 누구인지 궁금해졌다.

"도대체 뭐 하는 애길래."

"쟤는 부모님이 나보다도 공부를 많이 시키는 건가? 그게 가능한 일인가?"

"쟤네 집은 우리 집보다 더 한가? 그렇다면 쟤도 진짜 힘들겠다."
하는 생각이 들며 그 애가 불쌍해졌고 누군지 꼭 알고 싶었다.

몇 달이 지나지 않아 나는 전교 1등이 누군지 알게 되었다.

그 애의 이름은 백원. 백원에 꿈은 약사라나 뭐라나. 백원은 공부

하는 시간을 진심으로 좋아하고 즐거워했다.

백원의 할아버지도 백원을 응원해 주었고. 역시 억지로 하는 사람은 즐기면서 하는 사람보다 더 잘할 수 없나 보다. 부모님이 시켜서 불행한 압박 속에서 억지로 공부하는 나는 자기가 좋아서 스스로 공부하는 백원을 이길 수 없는 것 같다.

내가 복도를 지나갈 때마다 사람들이 수군수군한다.

“재가 이채희야? 맨날 2등만 한다는?”

“그래 재 별명도 있는데 모르냐?’

“그게 뭔데?”

“만년 2등”

내가 복도를 지나갈 때면 항상 내 귀에 들리는, 항상 나에게 꼬리표처럼 따라붙는 수식어가 하나 있다. 바로 만년 2등. 만년 2등이라는 말 그대로다. 그냥 지금까지 본 시험에서 매번 백원에게 전교 1등 자리를 빼앗겨 3년 동안 한 번도 빠지지 않고 꾸준히 전교 2등만 했기에 붙여진 별명이다.

고등학생이 되어 처음 전교 2등으로 내려가 보았을 때는 전교 2등이라는 성적이 이렇게 오랫동안 지속될지 몰랐다. 처음 전교 2등이 되고 등수가 떨어졌다고 부모님이 나에게 할 많은 잔소리와 한숨이 많이 걱정되고 집에 들어가기가 싫었지만 뭐 다음부터 더 많이 하면 다시 1등으로 돌아갈 수 있다고 하며 별 대수롭지 않게 넘겼다.

그리고 고등학생이 되고 처음 본 시험부터 전교 2등이라니 잠깐의 실수였던 것 같고 전교 1등쯤이야 내가 조금만 더한다면 언제든 할 수 있을 것 같았다. 그런데 몇 년째 계속 지속되는 그놈의 만년 2

등과 부모님의 기대와 압박에 나는 몸도 마음도 지쳐감과 동시에 공부가 너무 지겹고 따분해졌다.

몇 달 전에 본 3월 모의고사에서도 어김없이 백원에게 밀려 2등을 하고 말았다. 나는 부모님이 백원의 존재를 모른다고만 생각했었는데 그건 나의 착각이었다. 나의 부모님은 내 공부, 성적이 관련된 일이라면 무서울 정도로 많은 것을 알고 있다는 사실을 내가 잠깐 까먹고 있었다.

어느 날 학원을 마치고 집에 도착하니 너무 조용하여 숨소리조차 다 들리던 우리 집에서 엄마의 목소리가 들렸다. 잠깐 멈춰서 소리를 들어보니 엄마가 담임선생님과 전화하고 있는 것 같았다.

통화 소리를 귀 기울여 들어보았다.

"그런 아이가 도대체 왜 우리 채희보다 공부를 더 잘하는 거죠? 그런 아이가 뭐가 잘났다고 유명한 학원은 다 다니는 우리 채희보다 점수가 더 높은 거냐고요."

나는 나의 성적 때문에 이렇게까지 하는 부모님이 너무 부끄러웠다. 그렇지 않아도 나는 이 집이 정말 답답하고 불편하고 부모님은 무섭고 숨이 막혔는데. 이제는 이 집도 부모님도 다 싫다.

모든 게 다 마음에 안 들었다. 이렇게까지 해야 하나 싶고 우리 엄마에게 전교 1등이라는 사실을 들킨 백원이 정말 불쌍하고 백원에게 미안한 마음이 들었다.

전교 1등의 모든 것을 알게 된 나의 부모님은 이제 뻔한 잔소리는 하지 않았다. 성적으로 나를 혼내는 일이 생기면 항상 백원을 언급했다.

"왜 나를 나 그 자체로 봐주지 않고 백원과 비교하는 건가"
"왜 내가 2등을 하고도 혼나야 하는 건가"
"2등이면 잘한 거 아닌가. 언제까지 뭘 더 바란 건가"
부모님의 압박이 심해질수록 내 마음속은 부모님에 대한 부정적인 물음표들로 가득 차 있었다.
부모님만 나에게 뭐라 하는 것은 아니었다.
선생님들도 말한다.
"채희는 또 2등이네, 아이고 맨날 원이한테 밀려서 어떡하나."
"채희는 또 2등이야? 이제 전교 1등 한번 해봐야 하지 않겠어? "
"이채희 부모님이 그렇게 잘해 주시는데 점수가 계속 안 오르네!"
나도 다 알고 있는 사실이다. 내가 지금까지 백원에 밀려 전교 1등 한 번을 못 하고 있다는 것.
다 나도 알고 있는 사실이라고.
왜 세상에 뭐든 사람들은 나를 나로만 보지 않고 항상 백원과 엮는 것인가. 백원의 그 이름은 왜 자꾸 나를 따라오는 것인가. 내가 언제까지 백원과 비교당하며 백원의 이름을 들어야 하나.
우리 부모님이 백원을 알게 되고 담임 선생님한테 백원에 관해 물어보았을 때는 백원에게 정말 미안했다. 내 부모님이니까.
그런데 나는 지금 백원이 부러운 건지, 싫은 건지, 미안한 건지 도통 알 수 없는 감정에 휩쓸렸다.
주변에서 자꾸만 나와 백원을 비교하며 나의 일상에 자꾸 백원이 끼어드니까 괜히 우리를 비교한 사람들이 아니라 백원이라는 아이에게 짜증이 났다. 왜 자꾸 나의 비교 대상이 되는가 하면서.

나도 지금 내가 백원을 어떻게 생각하고 있는지는 확실하지 않지만, 좋은 감정은 아닌 것 같다. 그냥 나는 지금 백원을 부러워하고 있고, 자꾸만 백원이 나의 비교 대상이 되는 것을 싫어하고 있다. 이건 백원에 대한 열등감인지 아닌지 모를 감정이지만 비교가 많아질수록 나는 백원이 점점 싫어진다.

제5화 episode II

나는 오늘도 여느 날과 같이 학원을 갔다. 집에 도착해서 방으로 가려고 발걸음을 옮기는데, 어디선가 들려오는 소리에 나는 발걸음을 돌려 소리가 나는 쪽으로 천천히 가보았다. 그 소리는 엄마가 성준이 이모와 통화는 소리였다.

내가 다시 방으로 돌아가려고 하는데, 백원의 이름이 내 귀에 콕 박혔다. 나는 발걸음을 멈추고 통화 내용을 들어보았다. 그 대화 내용은 성준이 이모와 엄마가 백원에 대해 이야기한 것인데, 백원이는 내가 생각한 것과는 다른 아이였다. 내가 생각하는 백원이는 나와 비슷한 줄 알았다. 매일매일 학원에서 고생하는 줄만 알았는데 그건 나만 그런 거였다.

부모님들이 나눈 대화 속 백원의 모습은 내 생각과는 전혀 달라 놀라웠다.

그리고 다음날 학교에서는 성적표를 나누어 준다고 한다.

'얘들아, 성적표 받아 가~"

"그러면 얘들아, 부모님께 성적표 보여드리고! 종례 끝!"

학교가 끝나고 항상 짧다고 느껴진 복도가 너무 어두웠고 너무 길었다. 숨이 턱턱 막히는 기분이었다.

그때 따르르르르릉 전화가 울렸다.

"이채희. 너 성적표 받았니? 오늘 성적표 나오는 날이잖아." 엄마였다.

"... 네"

"당연히 올백이겠지. 이번엔 쉽게 나왔다더라. 너 설마 올백도 못 맞은 거야? 옆집 애들은 다 성적 올랐다던데 넌 뭐니."

"...."

"뭐야. 진짜 하나 틀린 거야? 어휴…. 그 아이는 성적이 어느 정도 나왔으려나? 걔가 우리 집 자식이면 얼마나 좋았을까~"

또 그 백원 이야기다. 하나 틀리면 당연히 1등이겠지라고 생각했던 나의 환상을 깨버린 그 애.

항상 전 과목 올백이라 나를 만년 2등으로 만들어 버린 애

"그래서 어떤 과목을 틀린 거야? 제일 좋고 비싼 학원에 학벌 좋은 과외 선생님들까지 다 해 줬는데 어떤 과목이 틀렸는지라도 좀 알아야 하지 않겠니? 그 아이는 학원도 안 다니고 과외도 안 받는데 뚝…."

나도 모르게 화가 나서 전화 도중 끊어 버렸다.

"누구는 만년 2등만 하고 싶은가. 그렇다고 전교 2등이 어디 쉬운 일인가. 여기서 더 성적이 떨어지면 날 딸 취급도 안 해줄 텐가."

"아 맞다…. 교실에 지갑을 두고 왔네."

나는 교실로 돌아가서 교실 문을 여는 순간 속이 울렁거렸다. 암흑 같은 교실이 나를 덮치는 기분이었다. 빨리 달아나고 싶었던 생각에 지갑을 챙기지 못하고 학교 건물을 뛰어나왔다.

뛰어나온 나는 운동장을 헉헉거리며 걸어가고 있었다. 너무 갑자기 뛰어서 그런지 머리가 어지러웠다. 그 순간이었다.

"조심해!!!"

"퍽"

축구부 아이들이 축구하다가 공이 날아가 버렸다.

그것도 나에게로.

정말 아팠지만, 아픈 거는 생각도 안 날 정도로 그냥 수치스러웠다. 축구는 여러 명이 함께하는 운동이라 여러 명이 봤다고 생각하니 더 수치스러웠다. 쥐구멍으로 들어가고 싶던 그 순간 어떤 남자 아이가 왔다.

"야 오지 마! 내가 보니까 얘 아주 멀쩡한데? 하하… 내가 보건실에 데려갈 테니 너희들끼리 하고 있어"

"야…. 괜찮냐? 살아 있지? 일어날 수 있냐? …내가 안아서 보건실에 데려다줄까?"

나는 '안아서'라는 말을 듣자마자 벌떡 일어나서 걸어갔다. 아니 도망갔다.

"....? 어라? 야 너 괜찮은 거 맞아? 갑자기 일어나서 걸어가도 되는 거야? 야!!"

나는 그 아이에게 아무 말도 안 한 뒤 뒤도 안 돌아보고 정문을 향해 걸어갔다.

"야 어디 가냐고!"

"학원! 학원 간다고! 나는 너랑 다르거든!"

다음날,

오늘따라 공부에 집중이 안 되었다. 그냥 공부가 하기 싫어졌다.

'아…. 시험도 끝났는데 내가 왜 계속 학원을 가서 공부하는 거지…. 그냥 학원이나 쨀까..'

그 순간 아이들이 웅성거리기 시작했다.

"어디 있지…. 아, 찾았다! 야!!"

모든 아이가 나를 쳐다봤다. 하지만 나는 저 아이가 누군지 몰랐다.

"야!!! 안녕?"

"너 누구야?"

"나 몰라? 내가 어제 너 축구공에 맞…."

그 아이가 '축구공'이라는 말을 하자 나도 모르게 벌떡 일어나서 그 아이를 끌고 복도 끝으로 달려갔다.

"야 여기는 왜 왔냐?"

"너 뭐야? 너 축구부야? 내가 공 맞은 거 어떻게 알았어?"

"헐. 너 나 몰라 내가 애들 오려고 하는 거 막아줬잖아~ 네가 부끄러워하는 거 같아서 허허"

"... 그래서 뭐 어쩌라고?"

"고맙다고 해줘!

"뭐?"

"고맙다고 해주라고!"

"내가 왜?"

"그야 내가 애들 오려는 거 막아줬으니까?"

"내가 막아달라 했니? 네가 일방적으로 행동한 거잖아?"

"ㅋㅋ 너 되게 진지한 스타일인가 보네~ 장난이야 ㅋㅋ"

".. 내가 장난 받아주려고 너한테 쉬는 시간을 낭비하고 싶지 않거든? 할 말 없으면 난 간다."

"야! 잠시만 이거 받아!"

"뭔데?"

"열쇠고리 ~"

그 아이가 들고 있는 것은 내가 반에 두고 왔던 지갑에 달려 있던 열쇠고리였다.

"헐…. 어디서 찾았어?"

나도 모르게 흥분해 버렸다. 어제 잃어버린 걸 알고서는 엄청나게 찾았기 때문이다.

"뭐야? 그런 표정도 할 줄 아네? 얼음공주님인 줄 알았더니 이 열쇠고리가 중요한 건가 보다? 네가 어제 도망간 도중에 떨어져서 내가 주었지"

"야아! 내가 열쇠고리 찾아 줬는데 고맙다고 안 해 주냐? 이건 진짜 고마워해야 할 일인 것 같은데~"

"...마워"
"뭐라고? 안 들려~ 더 크게!"
"... 고마워! 고맙다고!"
"ㅋㅋㅋ 알았어. 그만할게."
나도 모르게 얼굴이 화끈해졌다.
딩동댕동~
종이 쳤다.
"엇 종 쳤네~ 나는 내 반으로 가야지~ 너도 잘 가 이채희?"
또 얼굴이 화끈해졌다.
나는 오늘 처음 알았다. 항상 길다고 느껴진 쉬는 시간이 정말 짧은 쉬는 시간이라는 것을….
그날부터였다. 그 아이는 어김없이 항상 쉬는 시간과 점심시간 그리고 하교 시간마다 우리 반 앞에서 나를 기다렸다.
"이채희~ 왜 이리 늦게 나오냐?"
"어쩌라고~ 종례가 늦게 끝나는 게 내 잘못이니?"
"ㅋㅋㅋ 역시 네 말투는 들어도 들어도 재미있다니까~"
"나도 항상 해맑은 네가 정말 신기하단다~"
우리는 그렇게 조금씩 친해져 갔다. 성격이 정말 달랐기에 이어진 운명인 것 같았다. 나와 윤태하는 티키타카 하며 시도 때도 없이 같이 붙어 다녔다. 드디어 나에게는 친구가 생긴 것이다. 그것도 나의 이야기를 하여둘 수 있는 친구가 생긴 것이다.
그 후부터였을까…. 항상 지겹다고 생각했던 쉬는 시간과 점심시간 그리고 하교 시간이 기다려지기 시작했다. 그 아이와 빨리 만나고 싶었다.

학교가 끝나고 나는 오늘도 운동장을 거쳐 학원으로 가는 중이었다. 오늘따라 그냥 학원을 빠지고까지 놀고 싶었다. 그 아이와 있으면 마음이 편해지기 때문이다.

“야! 이채희! 오늘 시간 되냐?”

“어…”

“시간 안 된다고? 그냥 놀자~! 지금 시험도 끝났는데 누가 학원을 가냐? 좀 빠져! 바보도 아니고 왜 계속 가??”

“나 엄마한테 혼나는데….”

“아…. 그래? 아니 그래 도오…. 아아 아아 나랑 놀자구우!”

“…? 넌 학원 안 가?”

“응! 그딴 학원 한 번 빠진다고 뭐라 하시겠어?”

“그래? 그럼 놀까…?”

“…? 헐 진짜, 내가 아는 이채희가 허락한 거야??”

“그래 놀자고!!!”

“야…. 근데 우리 어디 가서 놀아?”

“공부만 아시는 바보는 그냥 따라오시죠”

‘아…. 뭐야…. 또 나도 모르게 웃음이 나오네….’

헉헉헉….

“야 이채희! 다 왔어."

“어? 여기 pc방 아니야? 나 pc방 와본 적 없는데….”

“헐? 진짜? 너 진짜 공부만 하고 살았나 보구나? ㅋㅋ 내가 다 가르쳐 주지! 따라와!”

“이채희 나랑 내기할래? 진 사람이 간식 쏘기 어때?”
“좋아, 근데 나한테만 너무 불리하잖아….”
“그럼, 네가 원하는 게임 골라”
“그러면 저거 하자….”
“이채희 안 봐줄 거니까 열심히 해라”
“아니 이채희 너 공부만 한 거 맞아 왜 이렇게 잘하냐…”
“난 원래 다 잘하거든 ㅋㅋ”
“근데 나 이렇게 노는 게 얼마 만인지 모르겠어…. 이렇게 노는 것도 좋아”
이때 핸드폰 벨소리가 울렸다.
따르릉따르릉
엄마의 전화였다.
“여보세요”
“야 넌 비싼 돈 들여서 학원 보내줘도 2등밖에 못 하는 주제에 학원을 빠져…?!”
“아니…. 엄마 시험도 끝났는데 학원 한 번 빠지면….”
뚝
채희는 엄마의 말을 듣고 대답하지도 않고 통화를 끊었다.
“야 이채희! 너 예의를 어디라 밥 말아 먹었니?”
“…”
“너 진짜 나랑 뭐 하자는 거야? 네 학원비가 하루에 얼마인지 알기나 하니?? 학원비 값도 못 하는 시험 점수를 가지고 지금 학원을 빠지겠다고? 너 그런 식으로 해선 인서울? 허, 꿈도 못 꿔!!! 이렇게까지 엄마 실망하게 할래? 그래, 나도 너에게 기대 안 해. 알아서 해."

나는 또 엄마의 말을 듣고도 대답하지 않았다.

"미안…. 나 먼저 갈게…. 오늘 나랑 놀아줘서 고마웠어…."

"어…? 알겠어"

제6화 episode III

태하와 놀고 난 후 나는 터벅터벅 길을 걷고 있었다. 이때 꼬르륵 하는 소리가 들렸다. 뱃 속에서 나오는 소리였다. 나는 가까운 편의점을 찾았다.

'오늘따라 왜 이렇게 배가 고프지…? 뭐라도 사서 먹어야겠다.'

그리고 편의점으로 달려갔다.

나는 계산대 위에 초콜릿을 올려두었다. 하지만 알바생은 계산을 하지 않고, 책을 읽고 있었다.

"저기요…."

'… 어? 저 재는 백원 아닌가?'

"이거 얼마야?"

“3천 원입니다.”

나는 계산대 위에 돈을 올려두었고 편의점을 나갔다. 내가 문을 열자, 비가 내리는 모습이 내 눈에 들어왔다. 나는 다시 편의점 안으로 들어왔다.

‘아… 우산 없는데 사야겠다…. 오늘따라 내 마음대로 되는 게 없네….’

“우산 어디에 있어?”

“아…. 우산이요? 우산 재고가 다 떨어졌는데… 저녁 9시쯤에 다시 들어와요….”

“아 그래요? 9시까지 못 기다리는데”

“그럼… 이 우산이라도 쓰실래요? 같은 학교 학생이라서 나중에 주면 되니까 쓰고 가”

“비 맞으면 감기 걸리니까 쓰고 가세요”

나는 대답을 하지 않고 우산만 받았다.

그리고 나는 비가 내리는 날 비를 맞고 싶다는 생각이 들어 우산을 쓰지도 않고 비를 맞았다.

“공부 안 하니까 모든 것이 다 재미있네….”

‘하…. 이제 집에 어떻게 가지…. 엄마는 또 뭐라고 하시겠지…. 진짜 집 가기 싫다….’

그리고 다음날 학교

딩동댕동

나는 백원이에게 우산을 주러 가는 도중 자신이 관련된 이야기를 얼핏 듣게 된다.

"야 너 3반 이채희 알아?"

"알지 걔는 왜?"

"이채희 걔는 전교 2등? 공부 잘하지! 근데 성격이 진짜 안 좋다니까"

"왜?"

"내가 저번에 필기 한번 보여 달라니까 자기 필기라고 화내듯이 말하면서 가는 거 있지. 아니 그거 보여주는 게 그렇게 어렵냐?"

"누구랑 너무 비교된다. 우리 원이는 이런 거 보여달라면 다 보여주는데 이래서 전교 1등 인가 봐."

"그치 원이가 이채희보다는 공부도 잘하고 성격도 좋지. 이채희 걔는 싸가지도 없고 성격도 안 좋아. 내가 걔한테 필기 보여 달라는 게 잘못이지"

이때 복도에 있던 백원이 이야기하는 친구들에게 다가갔다.

"저기 있잖아… 너희가 왜 그렇게까지 채희를 욕하는지 모르겠는데, 내가 생각할 때 채희는 누구보다 노력해서 그런 결과를 얻은 거잖아. 그리고 채희가 1등을 못 하는 게 채희 잘못도 아니고 그렇게 말하면 그 결과 때문에 엄청나게 노력한 채희가 2등밖에 라는 말만 들으면 기분이 안 좋겠지. 나 같아도 이런 말 들으면 너희한테 필기 안 보여주고 싶을 것 같은데"

그 모습 채희가 봤다.

'나는 항상 나의 경쟁자로 생각하고 잘 대해 주기보다는 항상 견제했는데 그런 백원이는 나한테 친절하고 누구보다 내 마음을 잘 알아주었다. 백원 쟤는 계속 날 도와주네….'

이렇게 항상 채희는 공부만 하면서 노력해도 1등을 못 하기에 열등감을 가지고 백원이를 바라봤는데, 백원이는 그와 다르게 채희에게 친절하게 대해 주었고, 채희는 반에서 반 이상이 다들 저 애들처럼 날 싫어하는데…. 이렇게 나에 대해 말해주니까 고맙고 그동안 자신이 백원이를 생각한 마음을 생각하면 살짝 후회스럽고 미안했다.

항상 나에게 친절한 백원이에게 호감을 느꼈다.

딩동댕동

종이 치면서 쉬는 시간이 끝나버렸다.

나는 우산을 주지 못한 채 반으로 돌아갔다.

나는 수업 시간 내내 생각했다.

백원이라는 애는 어떤 애일까?

'이따 수업 끝나고 점심시간에 우산 주러 가면서 한번 말 걸어 볼까…?'

나는 수업 시간 내내 백원이에 관한 생각만 계속하였고 점심시간이 되었다. 나는 백원이가 있는 반으로 터벅터벅 걸어갔다. 그런데 반대쪽 복대에서 백원이가 걸어오고 있었다. 그리고 백원이가 먼저 나를 보고 인사를 했다.

"어? 어제! 우산…!"

"어…. 여기 어제 고마웠어…."

"혹시 몇 반이야?"

"아…. 나 3반"

"근데 어제 비 많이 오던데 왜 우산 안 쓰고 비 맞고 간 거야?"

'비를 맞은 이유는 내가 엄마의 말을 무시하고 학원도 안 가고 반항하는 내 모습에서 한 번 더 반항하고자 하는 마음이 들었던 거긴 한데….'

"그냥 큰 이유는 없고 그냥 비 맞아보고 싶어서…."

"난 내 우산이 망가진 줄 알았네…."

"야 백원 너 쌤이 빨리 교무실로 오래"

"알겠어, 나중에 또 이야기하자 채희야"

그렇게 백 원과의 대화는 짧게 이루어졌다. 그 이후로도 원이는 나와 마주치면 인사를 건네기도 하고 말을 걸어주기도 했다. 하지만 나는 원이에게 먼저 말을 걸 용기가 없어 원아가 말을 걸어주기 위해 기다릴 때도 있었다.

"채희야 이 책 재미있는데 읽어봤어?"

"아 그 책 재미있지"

"채희야 넌 무슨 책 좋아해?'

"그래도 공부랑 관련된 거? 소설보다는 그런 책들 읽는데 왜?"

"아, 내가 예전에 도서관 간 적이 있는데 내가 엄청나게 오래 있었는데, 나만큼이나 오랫동안 있는 사람을 보고 신기했었는데 그게 너였더라고"

"진짜? ㅋㅋ"

'나는 원이게 나에게 처음 말을 걸 때는 당황해서 말이 잘 나오지도 않았는데 요즘은 대화를 자주 해서 그런지 많이 편해진 것 같다. 처음으로 대화하면서 계속 대화하고 싶다는 생각이 들었다.'

이렇게 조금씩 친해지자 나는 문득 이런 생각이 들었다.

'나한테 이렇게 관심을 준 사람은 원이가 처음인데 그래서 그런가? 이제는 원이를 보면 질투하고 부러워하던 생각을 보면 그때 왜 그랬지'라는 생각이 들 정도로 지금은 원이랑 친해지고 싶다는 생각이 든다.

그래서 매번 나에게 먼저 원이가 말을 걸어주어서 이번에는 내가 원이에게 먼저 말을 걸어 보자는 생각이 들었다.

다음날, 등굣길에 나는 원이를 발견했다.

'그래 지금이야. 지금 아니면 또 언제 내가 먼저 원이에게 말을 걸겠어? 그렇지? 그래, 그냥 말 걸어보지, 뭐 그 정도야 쉽지!!'

이렇게 생각했지만, 막상 뭐라고 말을 걸어야 할지 막막했다. 어쩌면 공부할 때 암기하듯이 종이에 쓰여있으면 좋겠다는 생각이 들었다.

"야 이채희 허헉…. 진짜 몇 번을 부르는데 대답을 안 하냐? 도대체 무슨 생각을 하는 거야"

"나 불렀어? 잘 안 들려서"

'아.. 원이한테 인사하려 했는데…. 진짜 윤태하…. 왜 지금 나타나냐고….!!!'

"야 이채희 너 백원이 알지 않아?"

"어. 왜?"

"내가 좀 잘생겨서 잘생긴 애 보면 살짝 질투 나거든"

"그래? ㅋㅋ 근데 내가 볼 때는 너랑 원이랑 잘 맞을 것 같은데?"

"왜 그렇게 생각하는데?"

"뭔가 나는 너희 둘이랑 있을 때 마음이 편해지고 기분이 좋아지거든?"

"그래? 네가 그렇게 생각하면 잘 맞겠지. 야 이채희 원이한테 한번 말 좀 걸어봐"

"어? 내가 왜?? 지금???"

나는 살짝 당황스러웠다.

"원이가 어떤 애인지 궁금한데 네가 재랑 대화하고 있으면 내가 자연스럽게 껴서 대화하면 되니까. 네가 얼른 가서 말해봐"

태하는 내 가방끈을 잡고 원이가 있는 곳으로 뛰어갔다.

"어? 어…."

나는 얼떨결에 원이와 말할 기회가 다시 찾아왔다.

'원이에게 뭐라 하지…. 나도 먼저 말 건 적이 없는데 하…. 윤태하 재는 나보다 말 잘하면서 이럴 때만 꼭 나 시킨다고….'

"원이야…. 안녕? 오늘 날씨 좋다."

"채희구나! 그러게, 날씨 좋네! 근데 너 옆에 있는 애는 축구부 아니야?"

"어 맞아! 근데 어떻게 알았어?"

"아 저번에 축구부 애들이 복도에서 떠들어서 국어쌤한테 혼난 거 본 적 있거든."

"아 ㅋㅋㅋ"

"근데 너는 재랑 너는 어떻게 알아? 왠지 둘이 성격도 완전히 달라서 어떻게 친해졌을지가 궁금한데"

"아 저번에 나 한번 도와준 적 있어서"

태하는 원이와 나의 대화를 듣고 살짝 민망했지만, 인사를 건넸다.

"안녕??? 나 윤태하야 "
"안녕 난 백원이야 어? 그때 그 축구부 맞지?"
"어 맞아"
태하의 표정은 알다가도 모를 것 같았다.
그리고 원이는 앞으로 가다 자리에 멈추면서 말했다.
"저기 봐. 저 나무에 있는 꽃 예쁘지 않아?"
"오 예쁘긴 하네"
"우리 학교에 저렇게 예쁜 꽃이 있었나?"
"야 이채희 넌 공부만 하니까 이렇게 예쁜 꽃 있는지도 모르지!"
"그래…. 내가 공부만 했지"
원이가 태하와 하는 대화가 웃겼는지 웃었다. 그래서 그런지 나도 웃음이 나오기 시작했다. 그리고 한 꽃이 눈에 들어왔다. 그걸 본 태하는 나에게 한마디 해주었다.
"채희야. 저 꽃이 너랑 뭔가 비슷한 것 같아"
"왜…?"
"저 유채꽃의 모습이 밑에는 어떤 힘든 일이 있었는지 뭔가 어둡게 느껴지지만 위에 꽃봉오리가 지금 너처럼 밝게 웃고 있는 것 같아서"
"그런가?"
그리고 나, 원이, 태하 모두 꽃을 보며 밝게 웃었다. 항상 어둡고 밝다는 단어와 멀리 떨어진 사람이었는데, 나도 유채꽃 한 송이같이 처음부터 밝게 빛나던 꽃이 아니라 조금씩 빛나는 꽃인 것 같다.

그로부터 몇 개월 후….
우리는 고3이 된 지 벌써 1년이 지나가고 수능이 다가왔다.
우리는 수능을 보게 되었고, 나는 항상 전교 2등 한 성적 덕분에 수능에서 좋은 성적을 받게 되어 부모님이 원하던 우리나라에서 가장 유명한 대학교에 합격하게 되었다.
그러나, 원이랑은 다른 대학교에 가게 되었다.
"역시 우리 딸~ 정말 자랑스러운 딸이야."
"하하…. 감사해요"
엄마는 역시 내가 좋은 대학에 가야지만 웃으며 좋아하셨다. 그래서인지 내가 그동안 죽을 듯이 힘들게 공부한 것들이 의미가 있었기에 앞으로의 삶이 행복할 거로 생각하고 싶지만, 현실은 달랐다.
이제는 내가 원하던 삶을 살 수 있을 것으로 생각했지만. 내가 원하던 것도 못 하고 과제에 시달리며 지친 계속 살아갔고, 각자의 삶을 살다 보니 원이와 나는 자연스럽게 점점 멀어지게 되었고, 태하는 가끔 만나서 예전처럼 매번 새로운 경험을 하게 해준다. 어쩌면 대학을 가기 전 고등학교 때 만난 원이와 태하가 나에게 유일한 추억이 된 것 같다.

제7화 결말 A

그 아이들을 처음 만났던 여름이 왔다. 유난히 햇살이 따갑고 공기가 무겁다. 하늘에서 내려온 햇살 중 가장 굵은 빛줄기를 따라가 보면 그 아래 한 꽃집이 보인다. 내가 유학에서 돌아온 후 제일 먼저 이룬 일이다. 유학 생활 중 알바를 하여 모은 돈으로 어렵게 조건에 맞는 가게를 찾아 임대했다. 내가 원하는 것을 내가 번 돈으로 이루니 내 생각보다 더욱 기분이 좋고, 뿌듯하다.

결국 나는 부모님의 기대에 맞는 대학교를 합격했지만, 나는 그 대학교에 가기가 싫었다. 그래서 숨 막히게 그 대학교에 다닐 바에는 그냥 아주 잠시나마 이 상황을 피하여 유학을 떠나고 싶다는 생각이 들었다. 그 후 일사천리 하게 이루어진 유학 준비들로 매일

빠르게 지나갔던 것 같다. 당연한 건가, 떠났던 유학에서도 친구는 없었다. 친구들을 만들려는 노력을 딱히 하지는 않았지만 그래도 누군가는 다가와 줄 것으로 생각했기 때문이다. 그와 동시에 우울증이 심하게 왔고, 여전히 원하는 전공을 찾지 못하고 방황하다, '플로리스트'라는 꿈을 찾았다.

유학 중 생계를 위해 일을 다닌 작은 레스토랑에서 홀서빙 및 테이블 데코를 맡게 되었다. 내 업무 중에는 테이블 위의 꽃을 관리하는 것도 있었다. 레스토랑의 주인아주머니는 매울 우울해 보이는 얼굴의 친구도 없는 나를 딱하게 보셨다.

그래서 자주 나를 데리고 같이 광장에 나가 장을 보거나, 꽃시장을 갔다. 나는 그곳에서 어떻게 상인들과 흥정하는 지도 배우고, 레스토랑 아주머니께 꽃꽂이도 배웠다. 그러다 보니 자연스럽게 꽃향을 맡으면서 마음이 힘들었던 나의 감정에도 튼튼한 평면이 생기는 날이 왔다.

안정된 상태로 일을 계속 다니던 어느날, 갑자기 내 힘으로 한국에서 내가 원하는 것을 하며 살 용기가 생겨 곧바로 한국으로 돌아왔다. 꽃집을 차리는 과정에서 몸이 너무 고되기는 했지만, 오히려 마음은 가벼워지는 것 같았다. 꽃을 손질하며 내 마음도 조금 정리되는 느낌이기도 하였다.

그래도 아직 마음이 다 나은 것은 아니라 근처 정신과에서 치료받으며 약을 먹고 있다. 그러다 보니 어느샌가 그 병원 건물 1층에 있는 약국에도 단골이 되어있었다. 그 약국은 아주 인자하신 할아버지가 매번 친절하게 맞아주신다. 그 할아버지를 보면 마음이 따뜻해지는 이유는 알 수 없지만, 항상 응원의 말을 해주시는 것을 보며 진정히 멋진 어른이라는 생각은 했다.

그날따라 손님이 많아서 퇴근 후 마지막 진료 시간에 병원을 들렀다. 나빠지진 않았지만, 좋아지지도 않았다는 의사 선생님의 말씀에 또다시 마음이 심란해졌다. 언제까지 이렇게 잔잔히 우울 속에서 살아가게 될지 막막했기 때문이다. 그렇게 무거운 마음으로 병원에서 처방전을 받아 1층의 약국으로 갔다.

"저, 약 처방받으려고요."

"자네, 또 왔군…. 약은 이렇게 하루아침, 저녁으로 2번씩 총 2주간 드시게"

할아버지도 나를 걱정하여서 하는 말씀인 것을 알지만, 그래도 기분이 더 우울해지는 것 어쩔 수 없나 보다. 그러한 마음을 안고, 근처에 내가 아주 좋아하는 샌드위치 가게를 갔다.

"슈림프샌드위치 세트 주세요. 도장도 찍을게요, 여기요."

"슈림프샌드위치 세트만 드리면 될…. 까…. 어, 혹시 죄송한데 채희 아니세요?"

"네?"

마스크를 쓰고, 모자를 푹 쓴 채로 포스기만 두드리던 직원이 그 애일 줄은 몰랐다. 반가운 감정이 들었다.

"태하구나, 잘 지냈어?"

"나야 뭐…. 가끔 피지컬 덕에 모델 일도 해서 살만해."

"부럽다. 너 옛날에 모델 일도 생각해 봤잖아."

"고마워. 오늘 바빠?"

“음…. 아니? 딱히 후에 일정 없어.”

“잘 됐다! 그럼, 나랑 오늘 영화 보러 갈래?”

“보고 싶던 영화 같이 갈 사람이 없어서 아쉬웠는데.”

“그러자 그럼 오랜만에.”

여름엔 항상 공포영화를 즐겨 보곤 했는데, 이젠 밖에 잘나가지도 않으면서 자연스레 영화를 잘 안 본 것 같다. 그래도 한때, 공포영화 덕후라고 자부심을 비추고 다녔던 나인데….

“뭐 볼래? 너 공포영화 좋아하지 않아?”

“오, 그걸 기억하네?”

“당연하지. 사실 난 너랑 졸업하고서도 연락하고 지내고 싶었는데, 연락이 안 되더라….”

“아, 미안…. 너까지 연락 끊을 생각은 없었는데, 하다 보니 그렇게 됐네….”

“그래, 오늘은 그냥 기분 좋게 놀자!”

“좋아”

그날부터 나는 태하와 자주 놀았다. 나의 정신적 지주가 되어 주기도 하고, 꽃 가게 일로 몸이 바쁠 때도 밥을 챙겨주는 등 2년을 그렇게 다시 고등학교 시절로 돌아간 듯한 느낌이 들었다. 그러면서 우울증도 다 나았다. 그날 샌드위치 가게에서 태하가 아닌, 원이를 만났더라면 다시 이런 사이가 될 수 있었을까. 어쩌면, 아예 다시는 만나지 못하도록 숨어버렸을지도 모른다. 그 모습을 원이에게 만큼은 보여주고 싶지 않았으니까.

오늘은 태하랑 한강에 놀러 가기로 했다. 자전거도 타고, 치킨도 먹을 것이다. 한강에 도착해서 돗자리를 펴고, 짐을 둔 다음, 자전거를 렌트하러 갔다. 각자 자전거를 빌려서 한강 변을 돌았다. 그런데, 그때였다. 내가 엎어진 것이. 무릎에서는 새빨간 피가 흘러나왔다. 태하는 내가 넘어진 모습을 보더니, 꼭 병원을 가야 한다고 했다. 혹시 금이 갔을 수도 있다나…. 여하튼 그렇게 태하에게 이끌려 근처 종합병원을 가서 진찰받고, 약간의 찰과상 외에는 너무 괜찮다는 말을 듣고서야 태하는 안심하는 듯 보였다.

그때, 태하 전화기로 급하게 모델 에이전시에서 전화가 와서 그 애는 뛰어갔다. 오히려 잘 되었다고 생각했다. 혼자서 약국으로 향했다. 약국에 들어가기 3초 전, 나는 봐버렸다.

멋진 모습의 약사가 되어있는 원이를. 착각할 수 없었다. 고등학교 때도 성숙해 보였지만, 아직 어린 모습이 있었다. 그런데, 어른이 된 원이의 모습은 누가 보아도 어른이 된 사람의 모습이었다. 작년이었다면, 태하를 만나지 않았더라면, 나는 약국에 들어가지 않았을 것이다. 아니, 못 들어간다는 표현도 맞을 것 같다.

용기가 없었을 것이고, 그때의 내 모습이 완벽해 보이는 원이의 앞에 내놓을 수는 죽어도 없었을 것이다.

"연고랑 밴드 좀 주세요."

"네, 여깄습니다. 총 3,000원이에요."

"카드로 할게요. 근데, 이름이 백…. 원이신가요?"

"아, 네 왜…. 그러신지?"

원이의 시선이 드디어 나를 향했다. 소나무같이 산들거리고, 푸른 냄새가 느껴지는 원이의 눈동자가 잠시 일렁였다. 나는 확신하였다.

원이가 나를 알아보았다고. 그리곤 곧바로 원이가 말했다.
"너…. 채희잖아…? 뭐야, 외국에 계속 남아있을 줄 알았는데…. 너무 반가워."
"잘 지내지? 난 요즘 너무 행복해. 내가 하고 싶은 걸 드디어 찾았거든. 몇 년 전엔 태하도 우연히 만나서 같이 자주 놀고 있어. 너는?"
"아주 가끔 너 걱정도 하고, 그러면서도 잘 지내려고 했던 것 같아."
다시 그 애를 만난 날에는 내가 좀 더 성장한 모습으로 마주하길 바랐는데, 그 소원이 이루어졌다. 나 없이도 잘 지냈다는 말이 약간 섭섭하긴 했지만, 내 생각보다는 훨씬 괜찮다. 그 애 인생에서 내가 지워지는 게 너무나도 무서웠는데, 이렇게 만나니 내 감정을 더 확실히 알 것 같다.
사실 원이도 나도 알고 있다. 그 풋풋하고 텁텁하던 여름날, 갑자기 내린 비에 홀딱 젖은 그 애와 나는 서로를 좋아했다는 것을. 하지만, 그건 이미 지나간 여름이고, 이젠 가을이 오고 있다. 우린 그 여름날, 서로를 놓쳤고, 그럼에도 우리는 각자 잘살고 있다. 이제는 원이에 대한 미련 없이 후련하게 잘 살 수 있을 것 같다. 원이의 마음을 외면하고, 유학길을 떠난 것이 미안했는데…. 잘 이겨내 줘서 고마운 마음이다. 내 생각보다 원이는 강한 사람이 되어있었다.
"내가 좋아하는 거 꽃이야. 내가 꽃을 좋아하더라고. 좋아진 건가…?"
"와 잘 됐다. 진심이야."

"고마워. 고등학교 시절, 다 네 덕분에 버틸 수 있었던 거 알지?"

"그렇게 말해주면 나야말로 고맙지. 이따 내 여자 친구 온다는데, 인사할래?"

"아냐, 나 이따 약속 있어서…. 아쉽다. 번호 좀 줄래? 연락하고 지내자."

".. 그래…! 이제 우린 나중에 다시 만날 수 있으니까. 셋이 또 보자."

"응, 그럼 나 가 볼게. 나중에 또 보자."

가벼운 마음으로 다음 약속 장소로 가는 길에 콘크리트 사이를 비집고 나온 유채꽃 한 송이를 보았다. 유채꽃은 보통 봄이나 초여름에 핀다. 그럼에도 이 날씨를 이겨내고 만개한 저 유채꽃이 나와 닮아 보인다. 나도 이제 누구에게도 의지하지 않고, 나만의 힘으로 살아가는 만개한 유채꽃이 되었다.

제8화 결말 B

벌써 대학에 가고 시간이 조금 흘러 바쁘고 또 열심히 살다 보니 얼마 안 된 친구들과도 연락이 잘 되지 않았다.

'하…. 진짜 고등학교에서 시험 때문에 얼마나 내가 예민해졌는데…. 그걸 또 하고 있네? 정말 이 지옥이 끝이 없다….'

'안 본 지 꽤 됐는데 오랜만에 한번 원이에게 문자 보내볼까?'

띠링!

'뭐지?'

[채희야! 뭐해]

'어? 태하다! 태하도 안 본 지 오래된 것 같은데….'

[나 지금 아무것도 안 해 오랜만에 할 게 없는 듯? ㅋㅋ]

[그럼, 나랑 만날래? 나 너무 심심해]

[그래 근데 너는 고등학생 때랑 똑같이 매번 심심하다고 하냐?]

[그럼, 이번에는 어디 가게?]

[00역 앞에서 만나 그쪽 근처에 사는 거 맞지?]

[응 일단 거기로 갈게]

"채희야! 여기야 여기!"

"윤태하! 오랜만이네"

"채희야 오랜만이다~ 너는 여전히 이쁘네!"

"아…. 고마워"

"채희야 우리 뭐하고 놀래? "

"나는…. 상관없어…."

"... 근데 채희야, 너무 오랜만에 만나서 어색한 건 아니지?"

"어…. 아니지 ㅎㅎ"

"어색한가 보네 ㅋㅋ 괜찮아! 어차피 오늘 놀면 너무 재미있다고 다음에는 네가 먼저 연락할걸?"

"그래…. 얼른 어디 갈지나 말하지"

"채희야 그냥 따라와!"

우리 둘은 오랜만에 만나서 조금은 어색했지만, 태하의 장난스러운 성격 덕분에 아침에 만나서 깜깜해질 때까지 재미있게 놀 수 있었다.

"채희야! 거의 다 왔어! 조금만 더 올라와"

"아니 이번에는 또 어디 가는데"
'하… 윤태하 저러니까 고등학교랑 모습이 변한 게 없다니까'
" 채희야 저기 봐봐"
'어…!'
나는 태하가 가리킨 곳을 보고 보고 놀랐다. 하늘에는 많은 별들이 있었고 그곳에는 유채꽃 한 송이가 활짝 피어있었다.
"우와~ 너무 예쁘다!"
"그렇지? 공부 안 하고 이런 풍경만 보면 좋겠다."
"...? 공부? 네가 공부한다고?"
" 응! 나 재수하잖아!"
"...? 너…. 재수해?"
"응!"
"아니 그럼 나랑 노는 게 아니라 공부해야지!!!"
"괜찮아~ 어차피 난 공부 안 해서…."
"아니 너 대학은 갈 거지.???"
"음…. 안 가도 크게 상관은 없고"
"안돼!! 네가 뭘 하든 일단 재수해서 대학은 가야 된다. 내가 도와줄 테니까 대학 가자?? 응?"
"그럼, 네가 나 가르쳐 준다고?? 나 너무 좋은데 "
"야…. 놀 생각 꿈도 꾸지 마!"
나는 고등학교 때 매번 공부로 스트레스받고 있을 때 태하가 내 옆에서 같이 있어 줘서 그나마 추억이라고는 태하랑 원이랑 논 것밖에 없기에 내가 도울 수 있는 것이 태하의 공부를 돕는 것밖에 없다는 생각이 들어서 이번에는 내가 태하에게 도움이 되고 싶었다.
"태하야! 나 믿지?"
"그럼! 난 널 믿고 있지!"
"그래"
"응!"
"야 윤태하, 여기야 여기~"
"이채희!"
우리는 오랜만에 만나 어색했었지만, 다시 금방 친해졌다. 어쩌면 고등학생 때 보다 친해진 것 같다. 전처럼 시시하게 놀지는 않지만 나름대로 우리는 어릴 때처럼 즐겁게 놀고 있다. 고등학생 때와 다른 것을 굳이 찾아본다면 아마 서로를 바라보는 눈빛이 약간 달라진 것이 제일 많이 바뀐 것 같다.
이제는 다르다. 가장 친하고 가장 빨리 만나고 싶은 그저 '단짝 친구' 관계와는 이미 멀어진 지 오래다.
"여기는 이런 식으로 접근해서 풀어야 쉽게 풀 수 있어…. 태하야 이제 옆 문제 풀어봐"
"음… 알겠어…."
"머뭇거리지 말고 빨리 풀어봐 넌 할 수 있어!"
"다 풀었어!"
"헐…."
"왜? 틀렸어?"
"아니 이 문제 정말 어려운 문제인데 너무 잘 풀어서! 정답이야!"

"와! 진짜? 이야~ 이채희 대단한데? 진짜 고마워"
"ㅋㅋ 그래. 근데 너 체대 준비했는데 왜 공부해?"
"..? 체대니까. 설마…. 체육대학이라고 해서 공부 안 하는 줄 알았던 거야? ㅋㅋ 체대도 어느 정도 공부 머리가 있어야 붙지!"
"오…. 나는 체대에 관심이 일도 없어서 몰랐는데…. 신기하다."
"공부 천재 이채희가 모르는 것도 있나 봐~ 공부 천재이면 다 알고 있는 줄 알았는데"
"… 공부 천재라니 그냥 그럭저럭하는 거지… 진짜 공부 천재는 원이 아니야? 원이는 학원 하나 안 다니면서 공부하는데 심지어 알바까지…. 정말 나와는 다르게 대단해"
"왜 너와 다르게 대단해? 내가 보기에는 채희 네가 훨씬 대단한데?"
"에이…. 나는 비싼 학원이란 학원은 다 다니고 비싼 과외에 인터넷 강의까지 들으면서 사는데 사교육 하나 없이 공부하는 애보다 밀리니 동등한 시선에서 바라보면 난 전교 등수는 보지도 못했을 거야…"
"채희야…. 너는 내가 본 아이 중에 채희 네가 제일 대단한 아이야. 원이보다 난 네가 훨씬 대단하다고 느끼는걸?"
"… 왜?"
"채희 네가 고등학생 때 부모님 전화 받을 때마다 힘들어 보이는 걸 보면서 너희 부모님이 되게 공부를 강요시킨다고 느꼈거든… 하지만, 너는 그 강요로부터 압박이 있어도 침착하게 공부를 열심히 했잖아. 그러니까 너는 정말 대단한 거지!"

"...진짜?..ㅋㅋ 고마워…. 칭찬이라는 거 생각보다 따뜻하네!"

"... 채희야. 빨리 공부나 계속 가르쳐 줘!"

"아… 응"

우리는 다시 조용하게 공부했다. 나와 태하는 매일 만나 같이 공부하니 태하의 공부 실력은 계속해서 상위권으로 올라가고 있었다. 다시 만나 공부한 지 벌써 몇 달, 며칠이 지나 수능 날이 다가왔고, 태하는 원하던 체대에 당당하게 수석으로 입학했다.

"태하야! 축하해!"

"채희야! 진짜 고마워!"

"대학 간 기념으로 내가 이 음식 다 쏜다!"

"에이~ 나 가르쳐 준 네가 호강해야지! 내가 쏜다!"

"ㅋㅋ 일단 먹어!"

"음…. 그럼 네가 쏘는 거지? 고마워~"

"그래!"

"채희야 밥 다 먹고 이따 놀러 가자"

"음…. 그래 너 대학 갔으니까 놀러 가자"

"잘 먹었어~ 채희야!"

"그래그래!"

"근데 우리 이번에는 어디 가?"

"그냥 나 따라와! 채희야! 다 왔어!"

".. 어? 여기는?"

"맞아! 작년에는 너는 대학생, 나는 재수생으로 여기에 왔지만, 이제는 우리 둘 다 대학생으로 이곳에 오게 되었네 "

“그러게,~”

“채희야 우리 벌써 만난 지 정말 오래되었어…. 나는 항상 너랑 있을 때 너무 행복했는데 너는 어땠어?”

“응! 나도 너랑 있을 때 좋았어.”

이 말을 하고 나니 머릿속에 많은 일들이 생각났다.

“처음에 너와 내가 만났을 때 기억나? 네가 내 축구공에 맞았을 때”

“아…. 내 흑역사 기억나지”

“흑역사라니! 우리를 만나게 해준 사건인데”

“.. 그렇게 생각하니 우리를 만나게 해준 일이네”

우리는 남들이 생각하기에는 이상하다고 생각할 수 있지만 이 사건으로 인해 지금까지 만났다고 생각하니 너무 소중한 사건이었다.

“채희야”

“왜?”

“이채희"

“왜 부르냐니까?”

“너는 이곳 오면 무슨 생각이 들어?”

“난…. 그냥 별을 보니까 마음이 편해지는 기분? 근데 왜?”

“나는 이곳에 오는 이유는 너랑 같이 있고 싶어서야”

“이채희 나 너 좋아해"

“진짜…?”

“응! 채희야 싫어도 답하지 말아 줘 나는 괜찮으니까"

“아니, 아니 태하야! 내 말 좀 들어봐!”

"왜?”

“솔직히 아직 나는 내 감정이 잘 모르겠어. 근데 나는 계속 너랑 있으면 행복하고 또 좋아"

“.. 진짜?”

“응!”

“그럼 잘 생각해 봐…. 채희야! 근데 저기 있는 유채꽃 보니까 우리 고등학교 때 생각나지 않아? 근데 등교할 때 엄청 재미있었는데”

‘그러게, 저 꽃을 보니까 고등학교 생각이 나네…. 어쩌면 나도 태하를 좋아하고 있지 않을까? 하…. 진짜 모르겠다.‘

나는 고등학교 때 시험에 시달릴 때만큼 처음 느끼는 감정이기에 태하에게 어떤 말을 해야 할지 계속 고민만 하고 있었다. 그래서 나는 태하의 고백 때문에 꽃이 보이지 않았다. 그냥…. 태하만이 내 눈에 보였다. 달빛에 비친 태하의 모습은 정말 너무 예뻤다. 수많은 꽃 중에서 지금 내 눈에 보인 꽃은 ‘윤태하'라는 꽃인 것 같았다.

“아 진짜 나도 좋다고!!”

‘어?…? 나도 모르게 속으로 생각하던 말이 입 밖으로 크게 나왔다.’

“..? 뭐라고?”

“아니…아니…. 내가 나도 모르게”

‘아 진짜 나 무슨 말을 하는지도 모르겠다….’

“야! 윤태하! 나도… 좋아! 고등학교 때 나는 네가 알다시피 공부만 해서 친구도 없이 계속 혼자만 지냈어. 그래서 엄마에게 혼나도 기댈 수 있는 친구가 없었지! 근데 내가 너랑 계속 같이 지내면서 생각해 본 것은 너랑 같이 있으면 난 웃음이 나오고 편한 친구는 너뿐인 것 같아

야 윤태하…! 너와 평생을 함께하고 싶어! 나랑…. 사귈래?"

수많은 나의 고통이 모두 태하를 통해 추억으로 변했다. 그래서 우리는 별과 꽃들 사이에서 서로의 마음을 확인했다. 이제는 진짜 '단짝 친구'가 아니다. 우리는 '연인'이 되었다.

제9 결말 C

그때 그 뜨겁고 치열했던 7번의 여름이 지난 후 이채희가 27살이 된 어느 한 가을날. 한적하고 어두운 도심 속 혼자서 빛나고 있는 작은 꽃집 하나가 보인다. 그때 언제나 조용했던 꽃집에서 이채희의 비명 소리가 들렸다.

“꺄 아아 아악"

장미꽃을 손질하던 이채희가 장미꽃 가시에 손이 찔려 피가 났다.

“아 피. 이 동네에 약국이 있으려나? ”

이채희의 손에서 피가 뚝뚝 떨어졌다. 이채희는 꽃 가게에서 나와 약국을 찾아보니 멀지 않은 곳에 약국 하나가 있었다.

‘어 저기 약국이 있었네! 다행이다.’

다행히 멀지 않은 곳에 약국 하나가 있었다. 이채희는 곧바로 약국에 들어갔다.

“딸랑딸랑”

약국의 현관 종이 울렸다.

“안녕하세요.”

“…”

나는 인사를 건넸지만 약을 포장하는 소리 때문에 들리지 않았나보다. 곧이어 약사가 나오며 인사를 건넸다.

“죄송합니다. 오신 줄 몰랐네요. 어떤 것이 필요한가요?”

약사는 눈을 아래위로 훑어보면서 말했다. 그러자 약사가 말을 걸었다.

“혹시 저희 어디서 만난 적이 있나요?”

그러자 나는 약사에게 말했다.

“저희가요?”

나는 깊이 생각하던 도중 놀란 표정으로 말을 걸었다.

“혹시… 너 백 원이야?”

그러자 약사가 놀라 대답했다.

“오…! 너 이채희 맞지…? 여전히 예쁘네”

그러자 이채희가 얼굴이 붉어지며 말했다.

“크.. 큼…. 됐고 여기에 연고 있어?”

그러자 백 원이 말했다.

“어디 다쳤는데?”

“가시에 찔려서 상처가 좀 생겼거든.”

"가시? 가시면 상처가 정말 따가울 텐데…. 잠깐 기다려봐"
"응"
"자, 여기 연고. 근데 상처 보니까 덧나기 쉬워 보이는데. 채희 너, 고등학생 때부터 시간 관리 열심히 하잖아. 여기 오는 것도 너에게는 시간 뺏기는 거니 내가 갈까?"
"그래. 네가 와 근데 어떻게 만나려고?"
"아…. 그럼… 전화번호 교환하자"
".. 왜?"
"그야…. 채희 네가 아플 때 연락해야 내가 가지."
"아…. 그래 여기 전번"
"고마워…. 연고 꼬박꼬박 바르고 조심해서 가"
"응…"

다음날
"하… 고작 상처 하나 때문에 오른손을 제대로 못 쓰겠네"
"띠링띠링"
그때 전화벨이 울린다. 백원에게 온 전화였다. 나는 고심한 끝에 전화를 받았다.
"여보세요?"
"채희야 안녕? 나야 백 원"
"아…. 안녕"
"어제 다친 손은 괜찮아?"
"응. 근데 아직은 불편하네!"

"그래? 생각보다 더 많이 다쳤나 보다. 대신 속상해지네"
"아… 응"
어색한 정적 분위기가 흐른다. 그때 백 원이 말을 걸었다.
"음…. 너 지금 뭐 해?"
"그건 왜?"
"그냥…. 궁금해서"
"나 지금 일하는 중이야."
"무슨 일?"
"예약받은 꽃다발 만드는 중"
"꽃다발? 그럼 플로리스트.. 뭐 그런 건가?"
"응"
"어쩐지~ 어제 가시에 찔렸다는 게 일 때문이구나"
"맞아"
"음…. 또 궁금한 게 생겼어."
"뭔데?"
"고등학교 때랑은 원하는 직업이 다른 것 같은데 어쩌다가 플로리스트 된 거야?"
"솔직히 말하면 고등학교 때는 내가 원해서 하는 것들이 없었거든. 모든 것들이 다 부모님이 원하는 것을 하고 원하는 행동들을 해야 했지. 그러다 보니까 나는 내가 원하고 내가 하고 싶고 그것이 무엇인지 몰랐어. 그러다 보니까 방황도 했지. 그러다가 고등학교 때 너를 만나게 된 거지. 그러다가 우리가 같이 등교했을 때인가? 그때 꽃이 많이 핀 나무가 있었는데, 그 옆에 한 송이의 유채꽃이 있었잖아. 네가 그 꽃이 나랑 비슷하다고 했었지. 그래서인지 꽃이라는 것에 관심이 생기게 됐어."

"이렇게 꽃에 관심을 가지게 된 이후에도 일단은 부모님 뜻대로 대학에 갔어. 좋은 대학에 갔지. 근데 그 대학 가면 갈수록 고등학교처럼 숨 막히고 힘들다는 생각이 든 거야.

그래서 이런 꽃들을 볼 때마다 마음이 편해져서 이런 숨 막히고 나의 뜻이 담겨 있지 않은 일을 하는 것보다 내가 원하는 것을 하고 싶어서 플로리스트가 됐어."

"있지…. 채희야 난 네가 플로리스트가 되어서 다행이야. 네가 꽃 얘기할 때 엄청 행복해 보이거든."

"그래?"

나도 모르게 플로리스트 이야기를 하다가 웃었나 보다. 나는 플로리스트가 좋다. 플로리스트 이채희로 사는 것은 정말 나에게 있어서 제일 잘한 일 같았다.

"채희야 그럼 너 지금 꽃집이야?"

"응"

"내가 일하는 약국에서 가까워?"

"음…. 5분 정도 걸어가면 있어"

"혹시 00 꽃집이야?"

"맞아. 어떻게 알았어?"

"아 맞는구나! 내가 출퇴근할 때마다 그 꽃집을 지나가는데 항상 예쁜 꽃들이 있더라고."

"역시 네가 가꾼 꽃이라 그런가? 더 예쁘다고 느껴지네"

“아…. 고마워"

나도 모르게 백 원이 말한 한마디에 내 심장은 두근두근 뛰기 시작했다. 백 원과의 전화는 잠시나마 호기심이었지만 그 호기심이 설렘으로 변하기 시작했다.

“근데 원아”

“응?”

“너도 꽃 좋아해?”

“그건 갑자기 왜?”

“아니 그냥…. 계속 꽃에 대해 말하고 있는데 네가 잘 알고 있는 것처럼 들려서”

“좋아해”

“어…. 어?”

“아니 꽃 좋아한다고”

“…”

잠시나마 백 원의 말을 오해했던 내 뺨이 붉어 올랐다.

“채희야…?”

그러자 나는 분위기를 환기하게 하려고 다른 주제를 꺼냈다.

“크크…. 큼…. 그럼…. 너는 왜 약사가 됐는데?”

“이거 너한테만 말하는 건데…. 사실 내가 어렸을 때 할아버지가 큰 불치병에 걸린 적이 있어서 할아버지의 병을 고쳐주려고 약사를 꿈 꿔왔어.”

“오…. 그렇구나….”

백 원의 진지한 이야기를 듣는 것은 처음이라 기분이 묘했다.

그때 문이 쿵쾅거렸다.
"똑똑"
처음엔 그냥 바람 소리인가 했지만, 아니었다.
"채희야"
"왜?"
"문 좀 열어줄 수 있어?"
"어…? 어디 문? 뭐야…. 너 설마"
"응. 너 앞이야."
전화하고 있던 나는 꽃집 현관문을 향해 뒤돌아 문을 열었다. 얼떨결에 내 눈앞에 보인 사람은 백원이었다.
"야…. 너 여기가 어디라고 와 이 추위에"
그러자 백원이 웃으며 말했다.
"그냥… 보고 싶어서?"
"…"
또다시 심장이 두근두근했다.
"근데…. 너 지금 약국에서 일하는 시간 아니야?"
"지금 점심시간. 너 보는 김에 일하는 거 구경하려고"
"어휴…. 됐다. 들어와"
백원은 들어오자마자 내부를 구경했다.
"우와 여기 예쁜 꽃 엄청 많다~"
"야.. 꽃 구경은 나중에 하고 앉기나 해. 손 얼겠다."
그러자 백 원이 말했다.
"지금 나 걱정해 준 거야?"

"걱정은 무슨…"

그러자 백 원이 내 눈앞에 다가왔다. 고등학생 때는 몰랐지만 가까이서 보니 꽤 키도 크고…. 잘생겼었다.

그때 백 원이 내 손에 툭하고 뭐를 올려놨다.

"이게 뭐야?"

"음…. 네가 좋아하는 핫초코?"

"마침 추웠는데 잘 됐다. 잘 마실게 원아"

추운 몸을 다스리기 위해 핫초코를 마셨다.

"음…! 맛있다…. 어디서 샀어?"

"약국 근처 카페에 들러서 샀어."

"그래…. 다음에 위치도 알려줘서 먹어야겠다."

그러자 백원이 말했다.

"그건 싫은데. 항상 내가 주고 싶단 말이야."

그러자 나도 장난기가 발동하여 장난을 쳤다.

"그럼 매일 와야 할 텐데? 못 오지?"라며 백 원 앞에서 씩 웃었다.

그러자 원이 말했다.

"그럼 매일 와야겠네"

그때 백 원에 핸드폰에서 띠링띠링 전화가 왔다.

"아…. 채희야 아쉽지만 가야 할 것 같아 점심시간이 끝나 버렸네…."

나는 왠지 모르겠지만 백 원이랑 떠나는 시간이 너무 아쉬웠다. 그래서 가는 백 원의 옷자락을 잡고 말했다.

"…"

"채희야?"

"다…."

"뭐라고?"

나의 목소리가 너무 작아 잘 들리지 않았나 보다.

"저녁에도 와. 나도 너랑 있는 거 좋으니까…"

서툴지만 따뜻한 표현이 백 원에 마음을 콩닥거리게 했다.

"응…."

백 원은 미소 짓는 얼굴로 담담하게 말했지만, 그 미소가 마치 유채꽃 한 송이가 활짝 핀 모습 같아 나도 모르게 웃음이 나왔다.

원이가 나가고 나니 많은 생각이 들게 하는 하루였다. 같이 없으면 보고 싶고 더 다가가고 싶은 이 마음을 가지는 것이 백원을 만날 저녁을 설레게 하였다.

그렇게 곧 저녁이 되었다.

또다시 문에서 똑똑 소리가 들렸다.

"채희야!"

"어…. 금방 왔네!"

"응 오늘은 얼른 퇴근하고 싶어서 아직 퇴근하려면 시간 많이 남았어?"

"음 아니 지금 막 정리하던 참이었어"

"그럼 같이 퇴근하자 기다릴게."

"응…."

"그래 들어와서 앉아있어"

원이가 온 후 얼른 꽃들을, 정리를 하고 있었다. 그런데 뒤에서 바스락 소리가 들리길래 보니 원이가 나를 도와 꽃을 정리하고 있었다.

"어? 원아 조심해! 잘못하면 꽃에 베일 수 있어!"

"아…. 그래?"

"응 그 꽃은 가시가 있어서 조심해야 하거든."

"고마워…. 채희야"

나는 원이와 짧지만 긴 시간 동안 꽃을 정리했고, 드디어 둘만의 시간이 생겼다.

"채희야, 나랑…. 영화 보러 갈래?"

"그래, 그러자"

티는 별로 안 냈지만 퇴근해서 바로 영화라니…. 마치 데이트같이 느껴졌다.

"음…. 그럼 우리 이거 보자"

"어…. 이 영화 개봉했어?"

난 웃음을 지으며 말했다.

"우와 나 이 영화 너무 보고 싶었는데 볼 시간이 없어서 못 봤거든…."

그러자 백 원이 말했다.

"그럼, 결정! 우리 이거 보자 기대된다."

그렇게 영화관에 들어가서 영화를 시청하기 시작했다. 그 순간만큼은 아무리 보고 싶은 영화라 해도 눈에 들어오지 않았다.

그렇게 심장이 두근거린 채 영화가 끝나버렸다.

"채희야 영화 재밌었어?"
"어…. 어 너무 재밌었어!!"
백원이 말했다.
"배고프지 않아? 점심 먹고 아무것도 못 먹을 텐데"
"맞아…. 나 완전 배고픔"
"그럼, 나랑 저녁 먹을래?"
"그래 여기 근처에 맛있는 식당이 어디 있더라?"
"내가 아는 곳이 있는데…. 거기로 갈래?"
"응. 좋아"
나는 오늘 백원이랑 처음으로 영화도 보고 밥도 먹는다. 이건 7년 전에도 해본 적 없던 일이었다. 그래서인지 조금 긴장이 되었다.
그 이후 우리들은 영화도 보고 밥도 먹어 슬슬 헤어질 참이었다.
"하…. 가기 싫다…."
백원이 떨리는 목소리로 말했다.
그때 내가 슬쩍 백원 손을 잡으면서 말했다.
"전화해…. 언제든…. 너라면 다 좋으니까"
그러자 백 원이 얼굴이 붉어지며 손이 미세하게 떨린 것 같았다.
그렇게 우리들은 계속 연락하고 만나다 보니 어색하다고 느껴지던 감정은 어디로 사라졌는지 그런 감정을 찾을 수 없었다.

3개월 후
우리는 항상 꽃집에서 늘 서로 간의 안부를 말하고 있었다.
"채희야 너는 무슨 꽃이 제일 좋아?"

“음…. 나는 꽃은 다 좋은데"

“그래도 그중에서도 네가 좋아하는 꽃은?”

“그럼, 유채꽃?”

“유채꽃은 어떤 꽃인데?”

“유채꽃? 유채꽃은 정말 예쁜 노란색 꽃이야. 꽃말은 명랑, 희망! 노란 유채꽃의 똑 닮은 뜻을 담고 있지 그래서 앞으로의 나의 삶도 유채꽃처럼 희망 가득했으면 좋겠기에 좋아하는 거야”

“유채꽃…. 너랑 정말 잘 어울린다.”

“정말? 근데 너는 항상 무슨 꽃이든 다 나랑 어울린다고 하네 “

“그야 너도 꽃이니깐?”

그러자 나는 백 원이 빤히 쳐다보면서 말했다.

“너…. 너는 왜 이런 낯간지러운 말을 자연스럽게 하는지 몰라….”

그러자 백원이 재밌다는 듯이 웃었다.

그리고 말을 걸었다.

“채희야 그래도 낯간지러운 말 한마디만 더 들어줘….”

“뭔데….”

백 원이 내 손을 살포시 잡으면서 말했다.

“나는 너의 삶이 유채꽃처럼 희망이 가득하고 항상 행복하게 해줄 수 있어”

“그러니 나랑 만날래?”

나는 이해가 되지 않았다.

“지금도 만나고 있잖아?”

그러자 이번엔 백 원이 내 눈을 마주치고 말했다.

“음…. 그런 만남이 아닌 나랑 평생 함께하는 만남 말이야.”

“난… 어느 순간부터 네가 좋아졌어. 항상 너랑만 있으면 심장이 두근거려. 그러니 조금 늦었지만 앞으로 내가 너를 행복하게 만들어 주고 싶어 나랑 함께해 줄 수 있어! 채희야”

나는 살짝 걱정되면서도 내가 좋아하는 사람에게 정말로 듣고 싶은 말을 듣게 되어 기뻤다.

“원아. 네가 생각하는 만남이 다를 수도 있어…. 그래도 괜찮아?”

“응… 당연하지! 네가 무슨 말을 하든 내 대답은 항상 같아”

“…”

그렇게 긴 침묵이 이어진 끝에 마지막으로 백 원이 말했다.

“채희야…. 나와 함께해 줄래?”

그러자 나는 눈물이 터지면서 말했다.

“…. 좋아”

나의 첫사랑은 마치 꽃봉오리처럼 모순된 감정이 지어져 있었다. 그 당시에는 아직 꽃이 피지 않았지만, 계절이 지나 꽃이 지고 피는 동안 다시 만나 지금의 순간이 될 수 있었다. 어른 된 후에야 그 감정의 꽃이 아름답게 피어났다. 마치 그해 우리들의 여름처럼, 새로운 계절이 나의 삶에 다시 다가왔다.

처음의 어려움과 서투른 감정이 지나고 나니 서로에게 필요한 햇빛과 비를 받으며 풍성한 꽃으로 거듭났다. 그 꽃은 과거의 어려움과 성장의 흔적을 담아낸 듯이 빛을 발했다. 덕분에 그 꽃은 더욱 향기롭고 아름다워져 이제는 그 꽃을 향해 걸어가 향기로운 추억으로 마음 깊숙이 우리들을 빛내줄 것이라 믿는다. 그 아름다운 순간들이 이젠 봄날의 햇살처럼 따스하게 비추고 있을 것이다.

그렇게 나의 첫사랑은 긴 시간 끝에 유채꽃처럼 꽃봉오리가 만개했다.

작가의 말

송현지 작가님

이 소설에서 나오는 이채희라는 인물은 목표 없이 가족의 압박으로 공부만을 하고 있다가 나중에야 자신이 진짜 원하는 목표와 가치를 찾고 행복하게 살아가는데요, 이 책을 읽는 사람들도 이채희라는 인물처럼 나중에 서라고 자신의 목표와 가치를 찾아서 자신의 삶을 즐기면서 살았으면 좋겠습니다.

태어나서 책을 직접 써본 경험은 이번이 처음이었고 저에게 의미있었던 시간이었습니다.

책을 쓰고 쓴 글을 계속해서 읽어보면 읽을 때마다 수정할 부분이 눈에 보여서 놀라웠습니다. 그렇게 계속해서 쓴 글을 읽고 수정하면 글이 점점 더 완성도가 높아지는 느낌이 들었습니다.

이러한 경험을 앞으로도 제가 글을 쓸 일이 생긴다면 지금처럼 계속해서 읽어보고 수정해야겠다는 것을 느끼게 되어서 좋았습니다.

신유주 작가님

처음에는 나의 이야기를 써보려고 했지만, 나의 이야기를 어떻게 써야 할지 막막해서 소설로 쓰게 되었습니다. 이 소설은 남학생 2

명과 여학생 1명의 이야기를 나타낸 성장 소설입니다. 한 여학생이 자신의 꿈과 목표 없이 부모님이 하라는 것들만 해서 목표가 뚜렷하지 않았습니다. 그래서 여학생이 두 명의 남학생을 만나면서 함께 성장하는 이야기입니다. 이 소설을 읽는 여러분들에게 전하고자 하는 바는 여러분의 삶이 어떻게 되어야 할지 막막한 사람들이 많을 거라고 생각이 듭니다. 그래서 여기 나오는 주인공들을 통해서 자신의 가치관을 조금 더 자세히 알게 되었으면 하는 바람과 아직 '꿈'이 없는 학생들이 많을 것 같아서 이 책에서 자신과 비슷한 모습에서 공감하고 또 다른 면에서는 답을 찾아가셨으면 좋겠습니다.

이준의 작가님

안녕하세요, [소녀, 만개하다]에 작가로 참여한 이준의 학생입니다. 저희 독서 동아리는 각자 챕터를 나눠 글을 쓰고, 그 글들을 묶어 하나의 글을 만들자는 아이디어를 시작으로 이 책을 만들게 되었습니다. 덕분에 다양한 의견도 많이 나오고, 항상 글 이야기가 넘쳐나는 환경에서 글을 쓸 수 있었습니다. 그리고 친구들과 서로 뜻이 완전히 일치할 때도 있었지만, 혼자 하는 것이 아니다 보니, 가끔은 타협해야 하기도 했습니다. 그럼에도 이 점에서 오히려 배운 것들도 있는 것 같아 단점이라고는 하지 못할 것 같긴 합니다.

이렇듯 장점이 더욱더 많았던 이번 동아리 활동에서 우리들의 이야기로 이루어진 '책'이라는 결과물까지 얻을 수 있어 행복하고, 기쁜 마음입니다. 이 책을 읽으신 분들께서 저희의 풋풋한 상상력을 바른 이 책을 읽고 쏠쏠한 재미를 얻으셨으면 좋겠습니다. 아무래도 약간 유치한 감이 있지만, 그것대로 매력이 있고, 자세히 보면 배울만한 점과 교훈도 숨어 있으니까요!

임이레 작가님

책을 만드는 것이 쉬워질 줄 알았지만, 생각보다 어려운 것이라는 것을 느꼈습니다. 책을 만들기 위해서는 어느 정도만 쓰면 분량이 나오겠다고 생각했지만, 어느 정도가 아니라 정말 많이 써야 한다는 것을 알게 되며 책을 만드시는 작가님들이 너무 대단하다는 것을 느끼기도 했습니다. 그리고, 표지 디자인을 하면서 너무 즐거웠고, 우리가 만든 책 결과물을 만들고 나니 너무 뿌듯했습니다.

이 책을 읽고 계신 모든 분이 항상 행복하시길 바라며 항상 포기하지 않고 나의 길을 자신이 만들어가는 삶을 사시길 바랍니다.

편규희

이 책은 전교 1등의 남학생과 전교 2등의 여학생과의 삶의 여정을 적되 이들의 도전에 맞서며 자신이 원하는 것을 찾아가는 주인공의 삶을 담은 책입니다. 힘든 순간에서 나오는 주인공들의 고비와 역경이 있었지만, 그 사이에서 나오는 용기와 성장 그리고 그들의 소중한 우정에 대해 여러분이 주목하여서 봐주셨으면 좋겠습니다. 또한 이 책은 결말이 3개라 독자님들이 보는 재미가 쏠쏠할 것입니다.

마지막으로 전하고 싶은 점은 독자님들의 삶에서도 주인공 채희처럼 어려운 순간을 극복해 원하는 직업을 찾고 행복한 삶을 살길 바란다는 점입니다. 물론 그 길이 쉽진 않겠지만 이 책을 보면서 조금이나마 영감과 힘이 되길 바라면서 물러나겠습니다. 지금까지 [소녀, 만개하다]에 편규희 작가였습니다.